C0-AKH-348

ル・クルーゼで料理 1

15分でつくる編

平野由希子

天然生活ブックス

ル・クルーゼで「15分料理」というと意外に感じる方も多いでしょうか。
でも、15分だからといって、
手抜き料理でも、スピードクッキングというわけでもありません。
素材のよさを最大限に生かす料理が得意なル・クルーゼだから、
短時間でも、いえ短時間だからこそおいしい料理があるのです。

厚手でどっしりと重たい鍋は、素材をやさしく加熱し、味をしみ込ませ、
しっとりと仕上げます。
だから「炒める」「蒸す」「さっと煮る」「ゆでる」「揚げる」などの料理にも力を発揮。
時間をかける料理以外にも、お鍋の力を生かす料理はたくさんあるのです。

ル・クルーゼのよさをもっともっと生かしてみたいと思い、
日々、さまざまな料理に使うようになりました。
ざっくりと切った根菜を炒めたり、
野菜の水分を生かして蒸したり、ゆでたり、さっと煮たり。
揚げ物だって、少ない油でからりと揚げられます。
意外なことに、パスタをもっちりゆでることも得意だということも発見しました。

そういう料理のほとんどは15分でできあがってしまうものばかり。
15分というのは、けっこう長い時間です。
それだけあれば十分に、ル・クルーゼは料理をおいしくしてくれます。

Contents

chapter 1——炒め物

chapter 2——蒸しゆでと煮物

chapter 3 ——パスタ

chapter 4 ——ごはんもの

chapter 5 ——揚げ物とグリル

Column

料理はすべてココット・ロンド 20cm、
22cm を使って調理しています。

レシピ中の大さじ 1 は 15mℓ、
小さじ 1 は 5mℓ、1 カップは 200mℓです。
いずれもすりきりです。

塩は自然塩を使っています。
小さじ 1 は 4 g です。

適量とは、調理時の水分や塩分、
味の好みなどで量の加減をすることです。

調理時間には、浸水時間、
乾物をもどす時間、むらし時間、
さます時間は含まれません。

お鍋に関するお問い合わせは、
ル・クルーゼ ジャポン（☎03-3585-0198）へ。

Chapter 1

炒め物

分厚くて重いル・クルーゼのお鍋は、加熱しながら、素材に含まれる水分や持ち味をじんわりと引き出してくれます。だから、炒め物の仕上がりも「カラッと」ではなく、「しっとり」。さらに、塩の力も借りて素材の水分をよりふんだんに導き出したり、ふたをして軽く圧力をかけたりすることで、一番おいしい炒め加減へ、たどり着きます。

れんこんの厚切りきんぴら

ときどきふたをして「蒸し炒め」にすれば、厚切りの
れんこんの中まで火が入り、ほっくりとした歯応えに。

材料（2～3人分）
れんこん　1節（250g）
赤唐辛子　½本
ごま油　大さじ1
しょうゆ　大さじ2
みりん　大さじ1½
砂糖　大さじ½

作り方

1. れんこんは皮ごと7mm厚さの輪切りにする（太いものは半月切りに）。水に5～10分さらし、水けをよくきる。赤唐辛子は種を除く。
2. 鍋にごま油を中火で熱し、1のれんこん、唐辛子を入れて炒める［写真A］。
3. 油がまわったら弱火にし、ふたをして3～4分蒸し焼きにする［写真B］。途中、2～3回ふたをとり、全体を混ぜる。
   厚手で気密性の高いル・クルーゼを、ふたをして使うと、れんこんの水分が十分に引き出され、水を加えずに蒸し焼きの状態にできる。
4. 透き通ってきたら、しょうゆ、みりん、砂糖を加えてさっと炒め［写真C］、ふたをしてさらに1～2分蒸し煮にする。
   調味料を加えた後、ふたをして煮ることで、厚切りのれんこんの中まで味をしみ込ませられる。
5. ふたをとり、汁けがほぼなくなるくらいまで炒め煮にする。

A

B

C

煮込まないラタトゥイユ

春野菜のラタトゥイユ

煮込まないラタトゥイユ

塩とル・クルーゼの力で野菜の持ち味が引き出されるから、
煮込まなくても、しっとりとして旨みたっぷり。

材料（2～3人分）

プチトマト　1パック
ズッキーニ　1本
なす　2本
セロリ　½本
玉ねぎ　½個
パプリカ（オレンジ）　1個
にんにく　1片
タイム　2～3枝
オリーブ油　大さじ2
塩、こしょう　各適量

作り方

1. プチトマトはへたを取り、半割りにする。ズッキーニ、なすは1cm厚さの半月切りに、セロリは筋を取って1cm幅に、玉ねぎは2cm角に、パプリカはへたと種を取り、2cm角に切る。にんにくは半分に切って芽を取り、包丁の腹でつぶす。

2. 鍋にオリーブ油、にんにくを入れて中火で熱し、薄く色づいてきたら玉ねぎを加え、しんなりするまで炒める。

3. なす、セロリ、ズッキーニ、パプリカの順に加えて炒め、タイム、塩小さじ1、こしょう適量を加え、ふたをしてときどき全体を大きく混ぜながら、3～4分蒸し煮にする。
塩を加え、ふたをして加熱することで、野菜の水分を引き出していく。

4. プチトマトを加えてさっと炒め、塩、こしょうで味を調える。

春野菜のラタトゥイユ

長く煮込まず、素材感を程よく残す火の加え方だからこそ、
春野菜のさわやかな甘みが際立ちます。

材料（2～3人分）

プチトマト　1パック
ズッキーニ　1本
玉ねぎ　½個
グリーンアスパラガス　1束
さやいんげん　10本
マッシュルーム　1パック
にんにく　1片
タイム　2～3枝
オリーブ油　大さじ2
塩、こしょう　各適量

作り方

1. プチトマトはへたを取り、半割りにする。ズッキーニは1cm厚さの半月切りに、玉ねぎは2cm角に切る。アスパラガスは下のかたい部分を切り、かたい皮をむいて2cm幅の斜め切りにする。いんげんはへたを取って斜め半分に、マッシュルームは石づきを取って半割りする。にんにくは半分に切って芽を取り、包丁の腹でつぶす。

2. 鍋にオリーブ油、にんにくを入れて中火で熱し、薄く色づいてきたら玉ねぎを加え、しんなりするまで炒める。

3. いんげん、マッシュルーム、アスパラガス、ズッキーニの順に加えて炒め、タイム、塩小さじ1、こしょう適量を加え、ふたをしてときどき全体を大きく混ぜながら3～4分蒸し煮にする。

4. プチトマトを加えてさっと炒め、塩、こしょうで味を調える。

そら豆のソテー

生からじっくりと炒めたそら豆。
ほくっとした食感と、豆そのものの
濃厚な旨みが感じられます。

材料（2 ～ 3 人分）
そら豆　約 10 さや
タイム　1 枚
オリーブ油、バター
　各大さじ ½
塩、こしょう　各適量
パルメザンチーズのすりおろし
　大さじ 2

作り方

1. そら豆はさやから取り出し、薄皮をむく。
2. 鍋にオリーブ油、バターを入れ、弱めの中火で熱し、粗くちぎったタイム、塩少々、**1** を入れて炒める。
   塩を加え、水分を引き出しながら炒めることで、そら豆の甘みが凝縮される。
3. そら豆の色が鮮やかになり、火が通ったら、塩、こしょうで味を調え、パルメザンチーズをふって火を止める。

いんげんと
ピーマンの味噌炒め

少しだけ水を加え、蒸し炒めにした野菜は、いい塩梅でくったりして、味噌もよくからみます。

材料（2～3人分）

さやいんげん　20本

ピーマン　3個

ごま油　大さじ1

A｜味噌　大さじ2
｜みりん、酒　各大さじ1
｜砂糖　大さじ½

作り方

1. さやいんげんはへたを取り、斜め半分に切る。ピーマンはへたと種を取り、縦に1cm幅に切る。
2. **A**の材料は混ぜ合わせる。
3. 鍋にごま油を中火で熱し、**1**を1分ほど炒める。水大さじ1を加え、ふたをして弱火にし、2～3分蒸し煮にする。途中、1～2回全体を混ぜる。
水を加えて蒸し煮の状態にし、いんげんをやわらかく仕上げる。
4. **2**を加え、さっとからめ、火を止める。

じゃがいもの
バターしょうゆ炒め

ゆっくり、やさしく熱を加えて
蒸し焼きにし、
やさしい甘みを味わいます。

材料（2～3人分）
じゃがいも　3個
バター、しょうゆ　各大さじ1
粗びき黒こしょう　適量

作り方

1. じゃがいもは1cm角に切り、水に5分さらし、水けをよくきる。
2. 鍋にバターを入れ、中火で溶かし、**1**をさっと炒める。弱火にしてふたをし、蒸し焼きにする。途中、1～2回全体を混ぜる。
   あまり混ぜず、じっくり焼くことで、じゃがいものほっくりとしたおいしさを引き出す。
3. じゃがいもが透き通ったらしょうゆを加え、汁けがなくなるくらいまで弱火で炒める。器に盛り、黒こしょうをふる。

かぼちゃの
シナモンバターソテー

ふたをして、弱火でじんわりと火を通したかぼちゃ。凝縮された甘みを、バターの香ばしさが包みます。

材料（2～3人分）
かぼちゃ　1/6個
バター　大さじ1
塩、こしょう、シナモンパウダー　各少々

作り方

1. かぼちゃは種とわたを取り、7mm厚さのくし形に切る。
2. 鍋にバターを入れ、中火で溶かし、1を並べ入れ、ふたして弱火で蒸し焼きにする。薄く色づいたら裏返し、ふたをして、もう片面も焼く。
   弱火で蒸し焼きにすることでほっくりと仕上がり、バターも焦げにくい。
3. 塩、こしょうで調味し、器に盛り、シナモンをふる。

にんじんとクミンのオリーブ油炒め

強い甘みをもつにんじんを、焦がすようにしっかりと焼くと、
まるでキャラメリゼしたようなおいしさ。

材料（2～3人分）
にんじん　2本
オリーブ油　大さじ1
クミンシード
　小さじ1/3
塩、こしょう　各少々

作り方

1. にんじんは皮つきのまま7～8mm厚さの輪切りにする。
2. 鍋にオリーブ油、クミンシードを入れて中火で熱し、香りが出たら、にんじんを加え、ふたをして蒸し焼きにする。
3. こんがりと焼き色がついたら裏返し、ふたをして、もう片面もしっかり焼く。塩、こしょうで調味する。
   にんじんは時間をかけて焼くことで特有の甘さが際立つ。

セロリとパプリカの炒めピクルス

甘酸っぱいピクルス液とともに野菜を炒め、
冷ましながら味を含ませる、ル・クルーゼ版ピクルス。

材料（2～3人分）
セロリ　1本
パプリカ（黄）　1個
オリーブ油　大さじ1
コリアンダーシード
　5粒（あれば）
A 白ワインビネガー、
　水　各大さじ3
　砂糖　大さじ1 1/2
　塩　小さじ1/2
　こしょう　適量
　ローリエ　1枚

作り方

1. セロリは1cm幅の斜め切りに、パプリカはへたと種を取り、横半分に切ってから、縦に1cm幅に切る。
2. 鍋にオリーブ油、コリアンダーを入れて中火にかけ、**1**を炒める。しんなりしたら、**A**の材料を入れてふたをし、ひと煮立ちさせて火を止める。
   金属製の鍋は酸に弱いが、ホウロウ加工されたル・クルーゼなら酸に強いので、酢を加えて調理しても大丈夫。
3. そのまま冷めるまでおき、味をなじませる。

うどとクレソンのきんぴら

野菜の苦味や風味を生かした、やさしい食感のきんぴら。
ふたつの野菜の旨みが重なると濃厚な春の香り。

材料（2〜3人分）
うど　1本
クレソン　1束
オリーブ油　大さじ1
しょうゆ、みりん
各大さじ1½

作り方

1. うどは包丁の背でうぶ毛をこそげ取る。太い部分は縦半分に切り、細い部分はそのまま、斜め薄切りにする。水に5分さらし、水けをきる。クレソンは軸と葉に分け、それぞれ5cm長さに切る。
2. 鍋にオリーブ油を中火で熱し、うどを炒める。しんなりしたら、クレソンの軸も加え、しょうゆ、みりんを加えて汁けがなくなるまで炒める。
厚手のル・クルーゼなら調味料の水分が蒸発しにくく、食材の中まで味が入りやすい。
3. クレソンの葉の部分を加え、さっと炒め合わせる。

大根とひき肉のオイスターソース炒め

大根の旨みを含んだ水分と、ひき肉のだし、
濃厚なオイスターソースが一体になって力強い味に。

材料（2〜3人分）
合いびき肉　100g
大根　10cm
大根の葉　10cm分
しょうがの薄切り　2枚
ごま油　小さじ2
オイスターソース
大さじ1
しょうゆ　小さじ½
塩、こしょう　各少々

作り方

1. 大根は長さを半分に切り、繊維に沿って細切りにする。大根の葉は1cm長さに切る。しょうがは粗みじんに切る。
2. 鍋にごま油、しょうがを入れて中火で熱する。香りが出たらひき肉を加え、両面を焼きつけるようにし、薄く色づいたらほぐすように炒める。大根、大根の葉を加えて炒める。
ル・クルーゼが大根から水分を引き出してくれるので、全体がしっとりとしてくる。
3. 大根が透き通ったら、オイスターソース、しょうゆ、塩、こしょうで調味する。

うどとクレソンのきんぴら

大根とひき肉のオイスターソース炒め

ズッキーニとエリンギのソテー

大ぶりに切った野菜を食感よく炒め上げるのは、
ル・クルーゼの得意分野。素材の持ち味がぐっと際立ちます。

材料（2～3人分）
ズッキーニ　1本
エリンギ　2本
にんにく　½片
バジル　3～4枚
オリーブ油　大さじ2
塩、こしょう　各少々

作り方

1. ズッキーニ、エリンギはひと口大の乱切りにする。にんにくは芽を取り、包丁の腹でつぶす。
2. 鍋にオリーブ油、にんにくを入れて弱火で熱し、香りが出たらズッキーニ、エリンギ、塩、こしょうを加えてさっと炒める。ふたをして、ときどき全体を混ぜながら4～5分加熱する。
   ここでふたをして加熱すれば、素材の歯応えを残しながら、中までしっかり火を通せる。
3. 仕上げにバジルを加え、さっと炒める。

ゴーヤーと厚揚げのナンプラー炒め

ナンプラーのコクと、ゴーヤー独特の風味が混じり合って、
深みのある味わいを醸し出します。

材料（2～3人分）
ゴーヤー　½本
厚揚げ　½枚
にんにく　1片
サラダ油　大さじ1
ナンプラー　大さじ1
酒　大さじ½
塩、こしょう　各適量

※サラダ油の代わりにオリーブ油を使ってもおいしい。

作り方

1. ゴーヤーは縦半分に切り、スプーンで種とわたを取り、横に1cm厚さに切る。厚揚げは縦半分に切り、横に1cm幅に切る。にんにくは半分に切って芽を取り、包丁の腹でつぶす。
2. フライパンにサラダ油、にんにくを入れて弱火で熱し、香りが出たら、ゴーヤー、厚揚げを入れて炒める。
3. 油がまわったら、ナンプラー、酒、塩、こしょうを加え、なじませるように炒める。

ゴーヤーと厚揚げの
ナンプラー炒め

ズッキーニとエリンギのソテー

豚バラとなすの
バルサミコ酢炒め

鍋の力で引き出される、なすの豊富な
水分。それが豚バラの脂となじみ、
まろやかな旨みとしっとり感の源に。

材料（2〜3人分）
豚バラ薄切り肉　100g
なす　3個
にんにく　1片
オリーブ油　大さじ1強
塩、こしょう　各少々
バルサミコ酢　大さじ2
しょうゆ　小さじ1

作り方

1. 豚肉は食べやすい長さに切る。なすは縦六つ割りにする。にんにくは半分に切って芽を取り、包丁の腹でつぶす。
2. 鍋にオリーブ油、にんにくを入れて弱火で熱し、香りが出たら豚肉を入れて炒める。豚肉の色が変わったらなすを加え、塩、こしょうをふり、なすがしんなりするまで炒める。
   ル・クルーゼで炒めると、なすから水分が十分に引き出されるので、フライパン調理のように多めの油を使わなくてもすむ。
3. バルサミコ酢、しょうゆで調味する。

絹さやとえびの しょうが炒め

下ゆでせずに、ル・クルーゼで
直に炒めた絹さやは、程よい食感で、
甘み豊かに。塩味もよくなじみます。

材料（2 ～ 3 人分）
むきえび　100g
絹さや　30 枚（約 80g）
しょうが　1 かけ
A｜酒　小さじ 2
｜塩　少々
オリーブ油　大さじ 1
塩　小さじ 1/3
こしょう　適量

作り方

1. えびは背わたを取り、塩水（塩は分量外）で洗って水けを拭き、A の調味料で下味をつける。しょうがは千切りにする。絹さやは筋を取る。
2. 鍋にオリーブ油を中火で熱し、しょうが、えびの順に加え、炒める。
3. えびの色が変わったら絹さやを加え、塩、こしょうをふって弱火にし、絹さやの緑が鮮やかになるまで炒める。

普通は下ゆでして炒めることが多い絹さやも、塩をふって炒めることで、素材の味を損なわずに炒めあげられる。

セロリと牛肉の酢じょうゆ炒め

酸に強いル・クルーゼは、酢を使った炒め物も得意。甘み、塩け、酸味、牛肉の旨みがなじみ、ごはんの進む味に。

材料（2～3人分）

牛切り落とし肉　100g
セロリ　1本
玉ねぎ　½個
A｜酒　小さじ2
　｜しょうゆ　小さじ1
サラダ油　大さじ1
B｜しょうゆ　大さじ1½
　｜酢、砂糖　各大さじ1
塩、こしょう　各適量

※サラダ油の代わりにオリーブ油を使ってもおいしい。

作り方

1. セロリは1cm幅の斜め切りに、玉ねぎは1cm幅のくし形に切る。
2. 牛肉は**A**の調味料をもみ込んで下味をつける。
3. 鍋にサラダ油を中火で熱し、牛肉を炒める。色が変わったら、セロリ、玉ねぎを加えて炒める。
4. 野菜がしんなりし始めたら、**B**の調味料を加え、汁けがなくなるくらいまで炒める。塩、こしょうで味を調える。

調味料と牛肉の旨みをなじませ、セロリにもしっかり味をしみ込ませながら炒める。

シンプルチャプチェ

肉や野菜のだし、しょうゆやコチュジャンの甘辛さで、ツルンとした淡泊な春雨が豊かな味わいに変身！

材料（2～3人分）

牛切り落とし肉　100g
春雨　50g
ゆでたけのこ　1個
ピーマン　3個
にんにく　1片
A｜しょうゆ　大さじ2
　｜コチュジャン　大さじ½
　｜砂糖　小さじ2
　｜ごま油　小さじ1
ごま油　大さじ1
塩、こしょう　各適量
白いりごま　大さじ1

作り方

1. 牛肉は**A**の調味料をもみ込んで下味をつける。
2. 春雨は湯でもどす。ざるに上げて湯をきり、食べやすい長さに切る。
3. たけのこ、ピーマンは細切りにする。にんにくは半分に切って芽を取り、包丁の腹でつぶす。
4. 鍋にごま油、にんにくを入れて熱し、香りが出たら、牛肉の汁けをきって加え（汁は取りおく）、色が変わるまで炒める。
5. たけのこ、ピーマン、春雨、**4**で取りおいた汁を加えてさっと炒め、ふたをして弱火で3分ほど蒸し煮にする。塩、こしょうで味を調え、ごまをふる。

ふたをして煮ることで、春雨にしっかりと味が入る。

セロリと牛肉の酢じょうゆ炒め

シンプルチャプチェ

こんにゃくの
ピリ辛炒め

しっかり味のしみたこんにゃくは絶品。
どっしりと重いル・クルーゼなら、
長時間炒め煮にする必要もありません。

材料（2～3人分）
こんにゃく　1枚
赤唐辛子　1本
ごま油　小さじ2
しょうゆ　大さじ2
みりん　大さじ1
砂糖　小さじ1

作り方

1. こんにゃくは塩少々（分量外）をふってもみ、水洗いして、スプーンなどでひと口大にちぎる。赤唐辛子は種を除く。
2. 鍋を中火で熱し、**1**のこんにゃくを3～4分炒りつける。
3. 泡が出てつやつやかになったら、ごま油を加え、しょうゆ、みりん、砂糖、粗くちぎった唐辛子も加え、ふたをして5～6分加熱する。途中、2～3回全体を混ぜる。
   味がしみ込みにくいこんにゃくも、ふたをして炒め煮にすれば5～6分で味がなじむ。
4. ふたをとり、汁けがほとんどなくなるまで炒りつける。

いかのアンチョビ炒め

アンチョビの塩けが、いかの甘みを
引き立てます。やわらかな仕上がりは、
ル・クルーゼで炒めるからこそのもの。

材料（2～3人分）
いか　1ぱい
にんにく　1片
アンチョビ　3枚
黒オリーブ（瓶詰）　5個
オリーブ油　大さじ1
塩、こしょう　各適量

作り方

1. いかはわたごと足を引き抜き、軟骨、目、くちばしを除く。胴、えんぺらは皮をむいて1cm幅に、足は食べやすい大きさに切り分ける。にんにくは半分に切って芽を取り、包丁の腹でつぶす。アンチョビ、オリーブは粗みじんに切る。
2. 鍋にオリーブ油、にんにくを入れて中火で熱し、香りが出たら、いかを入れて炒める。
3. 色が変わり始めたら、アンチョビを加えて炒め合わせ、塩、こしょうで味を調える。最後にオリーブを加え、さっと混ぜる。

ル・クルーゼがやさしく熱を伝えてくれるので、しっとりとやわらかく仕上がる。

Column

湯気には香り、旨みが詰まっている

鍋にふたをして煮ることの意味のひとつに、「湯気を封じ込める」というものがあります。素材や調味料の香り、旨みを含んだ湯気は、ふたでしっかり受け止めることによって、水滴となって料理の中へ戻っていくのです。特に、ル・クルーゼのふたはずっしりと重いため、大事な湯気を逃がさずに閉じ込めるのがとても得意です。

逆に、魚を煮るときなどは、ふたをせずに加熱することで、酒のアルコールとともに臭みを蒸発させます。

C h a p t e r 2

蒸しゆでと煮物

ごく少量の水分だけを加えてつくる、ギュッと旨みの詰まった蒸しゆで。火にかける時間を短くして、余熱でふっくらと仕上げる煮物。ふたをして、短い時間で素材のだしを引き出すスープ……。煮込み鍋としての印象が強いル・クルーゼですが、その厚み、重みによる実力は、むろん、短時間の調理でも存分に発揮されます。

緑野菜の蒸しゆで

蒸すようにゆでた野菜は水っぽくならず、ブロッコリーの
軸まで甘く美味。素材の持ち味が生き生きと感じられます。

材料（2～3人分）

キャベツ　1/8個
ブロッコリー　1/2個
グリーンアスパラガス　3本
さやいんげん　10本
塩　小さじ1/2

A
- マヨネーズ　大さじ2
- オリーブ油　大さじ1/2
- アンチョビ　1枚（または アンチョビペースト小さじ1）
- 粗塩、粗びき黒こしょう　各適量

作り方

1. アンチョビは細かくたたき、残りの**A**の材料とともに混ぜずに小皿に入れる。

2. キャベツはざく切り、ブロッコリーは小房に分け、軸は皮をむいて5mm厚さに切る。アスパラガスは下のかたい部分を切り、かたい皮をむいて半分に切り、さやいんげんはへたを切る。

3. 鍋に水1/2カップ、塩を加え、ふたをして火にかける［写真A］。煮立ったら、ブロッコリーの軸、さやいんげんを加え、ふたをして弱火で2分加熱する［写真B］。

ふたをして蒸しゆでにすることで、ブロッコリーの軸などのかたい部分も、程よいやわらかさになる。

4. ブロッコリー、アスパラガス、キャベツを加え、ふたをしてさらに3~4分加熱し［写真C］、ざるに上げる。熱々のうちに、**1**をつけて食べる。

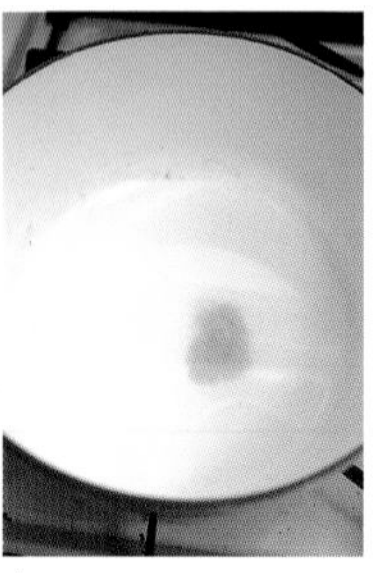

A

B

C

豆もやしの蒸しゆで
オイスターソースだれ

蒸しゆでにすることで、もやしのワイルドな旨みがぐっと
表に出てきます。濃厚な味わいのたれと相性抜群。

材料（2 ～ 3 人分）

豆もやし　1 袋
塩　小さじ ½
A オイスターソース、酢、しょうゆ、ごま油　各小さじ 2

作り方

1. 鍋に水 ¼ カップ、塩を入れ、ふたをして火にかける。
もやしからも水分が出るので、ゆでるときに加える水の量は少なめでよい。

2. 沸騰したらもやしを加えてふたをし、弱火にして 3~4 分加熱し、ざるにあげる。**A** の材料を混ぜ合わせ、もやしが熱々のうちにかけて食べる。

枝豆の蒸しゆで

食感のよさ、香りの豊かさ、中までしっかりとしみ込んだ塩け。
ゆでた枝豆には出せないおいしさです。

材料（2 ～ 3 人分）

枝豆　250g
タイム　4~5 枝
粗塩　小さじ 2
粗びき黒こしょう　適量

作り方

1. 枝豆に粗塩適量（分量外）をまぶし、ざるに入れて、こすりつけるようにしてうぶ毛を取りながら水で洗う。

2. 鍋に **1**、水 ½ カップ、タイム、塩を入れて火にかけ、沸騰したら弱火にし、ふたをして 5 分蒸しゆでにする。
たっぷりの湯でゆでるのに比べ、加熱時間はやや長くなるが、中までしっかり塩味が入る。

3. ざるにあげて器に盛り、黒こしょうをふる。

根菜の蒸しゆで

塩を加えた湯で3種の根菜を蒸しゆで。
シンプルな調理がそれぞれの甘みや
歯応えを力強く引き立てます。

材料（2～3人分）
れんこん（小） 1節（150g）
にんじん（小） 1本
かぶ 2個
塩 小さじ½
A | ごま油 大さじ2
 | 塩 小さじ⅓

作り方

1. れんこん、にんじんは皮をむき、かぶは皮をむかずに、それぞれ1cm厚さの輪切りにする。
2. 鍋に水¼カップを煮立てて塩を加え、れんこん、にんじんを入れてふたをし、弱火で加熱する。3分後にかぶも加え、さらに3分加熱する。
かぶは火が通るのが早いので、他の野菜と時間差をつけて鍋に入れる。
3. ざるにあげて湯をしっかりきり、器に盛る。**A**を混ぜ合わせたたれを添え、熱々のうちにつけて食べる。

野菜の酒蒸し鍋

水は加えず、白菜やえのきたけの水分と、酒で蒸した鍋。
そこに豚バラのまろやかな旨みが加わり、深い味わいに。

材料（2～3人分）
豚バラ薄切り肉　200g
白菜　¼株
えのきたけ　1パック
長ねぎ　1本
酒　½カップ
A　白練りごま　大さじ4
しょうゆ　大さじ3
酢　大さじ2
酒　大さじ1
砂糖　小さじ2
おろししょうが
小さじ1
ラー油　少々
水　大さじ2

※**A**のたれは、しょうゆを半量にし、あれば腐乳30gを加えても。

作り方

1. 白菜は軸と葉に分けてざく切りにし、えのきたけは根元を落として半分の長さに、長ねぎは5mm厚さの斜め切りにする。豚肉は食べやすい長さに切る。

2. 鍋に白菜の軸、豚肉、ねぎ、えのきたけ、白菜の葉の順に重ね、酒を注ぎ、ふたをして弱火にかける。
加熱すると白菜の水分が出て、半分ほどのカサに減るので、ふたで押さえるくらいの山盛りを入れてよい。

3. 白菜がくたっとするまで12~13分加熱する。**A**を混ぜ合わせたたれを添え、つけて食べる。

蒸し鶏と春菊のサラダ

長く火にかけず、余熱でじんわり火を通したジューシーな
鶏肉。マスタード入りのさっぱりしたたれがよく合います。

材料（2～3人分）

鶏むね肉　1枚
春菊　½わ
長ねぎ（白い部分）　½本分
長ねぎ（青い部分）　1本分
しょうがの薄切り　1枚
酒　¼カップ
塩　小さじ⅓

A
- オリーブ油　大さじ2
- 酢、しょうゆ、粒マスタード　各大さじ1
- こしょう　少々

作り方

1. 春菊はやわらかい葉を摘んで茎と分け、茎は1cm長さに切って熱湯でさっとゆでる。ねぎの白い部分は、縦に切り目を入れて芯を取り除き、斜め薄切りにして水にさらし、水けをきる。
2. 鍋に鶏肉、ねぎの青い部分、しょうが、酒、塩を入れ［写真A］、ふたをして中火にかける［写真B］。
3. 煮立ったら弱火にして、5分加熱して火を止め、そのまま余熱で火を通す［写真C］。
   ゆですぎず、余熱で加熱すれば、脂の少ないむね肉でもパサつかない。蒸し汁に浸したまま冷蔵保存すれば、2～3日しっとりしたおいしさを保てる。
4. 鶏肉は食べやすい大きさに手で裂く。ボウルに**A**の材料を合わせてたれを作り、食べる直前に鶏肉、春菊の葉と軸、ねぎをあえる。

A

B

C

たっぷりパプリカのバンバンジー

鶏むね肉とパプリカを一緒に酒蒸しに。蒸し汁にパプリカの甘みが出て、鶏にもしみ込みます。

材料（2 ～ 3 人分）

鶏むね肉　1 枚
パプリカ（赤、オレンジなど 2 種類）　各 1 個
しょうがの薄切り　1 枚
長ねぎ（青い部分）　1 本分
酒　½ カップ
塩　小さじ ⅓
A｜白練りごま　大さじ 3
｜酢　大さじ 1½
｜しょうゆ　大さじ 1
｜砂糖　小さじ 1
｜おろししょうが、ラー油　各少々
粗びき黒こしょう　適量

作り方

1. パプリカはへたと種を取り、縦 1cm 幅に切る。
2. **A** と黒こしょう以外の材料すべてを鍋に入れ、ふたをして中火にかける。煮立ったら弱火にして、5 分加熱して火を止め、余熱で火を通す。
3. **A** の材料に **2** の蒸し汁大さじ 1 を加えて混ぜ、たれを作る。
4. 鶏肉を食べやすい大きさに手で裂き、パプリカとともに器に盛り、黒こしょうをふる。**3** のたれを添え、かけて食べる。

きのこと鶏の酒蒸し

鍋の中で、鶏むね肉の淡泊でやさしい旨みと、
きのこの豊かな風味が混ざり合い､奥行きのある味に。

材料（2 ～ 3 人分）
鶏むね肉　1 枚
エリンギ　2 本
生しいたけ　3 枚
長ねぎ　1 本
しょうがの薄切り　1 枚
酒　¼ カップ
塩　小さじ ⅓
A｜バルサミコ酢、しょうゆ、オリーブ油　各大さじ 1
B｜ごま油　大さじ 2
　｜ゆずこしょう　小さじ 1

作り方

1. エリンギは手で半分から四つ割りに割き、長ければ半分に切る。しいたけは軸を取る。長ねぎは 1cm 幅の斜め切りにする。
2. 鍋に **A**、**B** 以外の材料をすべて入れ、ふたをして中火にかける。煮立ったら弱火にして、5 分加熱して火を止め、そのまま余熱で火を通す。食べるときにもう一度火にかけ、温める。
鶏肉、きのこ、ねぎを一緒に蒸し煮にすることで、それぞれの素材の旨みや香りが増す。
3. **2** を器に盛り、**A**、**B** の材料をそれぞれ混ぜ合わせた 2 種類のたれを添え、つけて食べる。

野菜のマリネ

フランスでは定番の野菜の蒸し煮料理。ワインの風味と
野菜の甘みが合わさった、しみじみとしたおいしさ。

材料（2〜3人分）
カリフラワー　½株
ズッキーニ　1本
パプリカ（黄）　½個
セロリ　1本
小玉ねぎ　6個
プチトマト　10個
タイム　1枝
オリーブ油　大さじ3
コリアンダーシード
　小さじ⅓
ローリエ　1枚
塩　小さじ½
こしょう　少々
白ワイン　大さじ4

作り方

1. カリフラワーは小房に分ける。ズッキーニは2cm厚さの輪切りにし、パプリカは3cm角に、セロリは2cm幅に切る。
2. 鍋にオリーブ油大さじ1、コリアンダー、タイム、ローリエを入れて弱火にかけ、香りが出たら小玉ねぎを加え、ふたをして2分加熱する。カリフラワーも加え、さらに2分加熱する。
   それぞれの野菜がちょうどよい歯応えに仕上がるように、火が通りにくい野菜から順に加熱する。
3. セロリ、ズッキーニ、パプリカを加え、塩、こしょうをふって炒め合わせる。白ワインを加えてふたをし、弱火で7〜8分蒸し煮にする。
4. 最後にへたを取ったプチトマトを加え、火を止める。そのまま粗熱がとれるまでおき、冷蔵庫で冷やす。食べる時にオリーブ油大さじ2をまわしかけ、器に盛る。

キャベツの煮びたし

油揚げにふっくらとしみた煮汁には、
和風のだしの旨みと、キャベツの
やさしい甘みが詰まっています。

材料（2 ～ 3 人分）
キャベツ　¼ 個
油揚げ　1 枚
だし（濃い目にとったもの）
　1½ カップ
みりん　大さじ 1
しょうゆ　小さじ ½
塩　小さじ ½ 強

作り方

1. キャベツは食べやすい大きさのざく切りにする。油をひかないフライパンで油揚げを両面がこんがりするまで焼き、1cm 幅に切る。
2. 鍋にだしを煮立て、**1**、みりん、しょうゆ、塩を加えてふたをし、3~4 分煮る。

キャベツからたっぷり水が出るので、その水分を生かして煮含める。

鯛とあさりの蒸し煮

旬の春に味わいたいひと皿。
柔らかく、あっさりとした鯛の身に、
あさりの豊かなだしがじんわりと。

材料（2 ～ 3 人分）
あさり（砂抜き） 300g
鯛　2 切れ
タイム　1 枝
白ワイン　½ カップ
塩、こしょう、オリーブ油　各適量

作り方

1. あさりは殻をこすり合わせて洗い、タイム、ワインとともに鍋に入れ、ふたをして火にかける。
2. あさりの口があいたら、あさりを取り出し、鯛を入れてふたをし、弱火で 3~4 分加熱する。鯛に火が通ったらあさりを戻し入れる。
   あさりは加熱しすぎると身がかたくなるので、口があくまで蒸し煮にしたら、いったん取り出す。
3. 塩、こしょうで味を調え、器に盛り、オリーブ油をまわしかける。

えびといかのヴィネガー煮

蒸し煮にしたえびといかはやわらかな歯応え。噛みしめると濃厚な旨みがヴィネガーの風味と溶け合います。

材料（2〜3人分）
えび　8尾
いか　1ぱい
にんにく　1片
オリーブ油　適量
白ワインヴィネガー　大さじ3
砂糖　大さじ1
塩　適量
こしょう　少々
ディル　適量

作り方

1. えびは殻をむき、背わたを取る。いかはわたごと足を引き抜き、軟骨、目、くちばしを除き、胴、えんぺらは皮をむいて1cm幅に、足は4等分くらいに切り分ける。にんにくは半分に切って芽を取り、包丁の腹でつぶす。
2. 鍋にオリーブ油大さじ2、にんにくを入れて火にかける。香りが出たら、えび、いかを加え、ヴィネガーを加えてひと煮立ちさせる。砂糖、塩小さじ⅓、水大さじ3を加え、ふたをして5分煮て、塩、こしょうで味を調える。

   加熱しすぎないように火を止め、いかをやわらかい食感に仕上げる。
3. 器に盛り、オリーブ油適量をまわしかけ、ディルをのせる。

※冷やして食べてもおいしい。

じゃがいもとたらのさっと煮

ブイヨンを加えずに、じゃがいもとたら、香味野菜のだしを存分に生かした料理。白ワインで味に深みをもたせます。

材料（2～3人分）

甘塩たら　1切れ
じゃがいも　2個
玉ねぎ　¼個
にんにく　2片
タイム　1枝
オリーブ油　適量
白ワイン　¼カップ
塩　小さじ¼
粗びき黒こしょう　少々
イタリアンパセリ　適量

作り方

1. たらはひと口大に切る。じゃがいもは1cm厚さに切り、玉ねぎは薄切りにし、にんにくは半分に切って芽を取り、包丁の腹でつぶす。
2. 鍋にオリーブ油大さじ1、にんにくを入れて火にかけ、香りが出たら玉ねぎを加えて炒める。しんなりしたら、じゃがいも、たら、タイムを加え、ワインを加えてひと煮立ちさせる。
3. 水1カップを加え、ふたをして10分煮る。オリーブ油適量をまわし入れ、塩、こしょうで調味する。器に盛り、パセリをみじん切りにして散らす。

ふたをしてじんわりと煮て、たらや野菜の旨みを引き出す。

ぶりと水菜のさっと煮

ル・クルーゼのやさしい熱で、ふっくらと煮えたぶり。
脂ののった、どっしりとした味わいが生きています。

材料（2～3人分）

ぶり　2切れ
水菜　½わ
長ねぎ　½本
酒　½カップ
塩　小さじ½
みりん　大さじ1
しょうゆ　小さじ½
一味唐辛子　少々

作り方

1. ぶりに塩をふって10分ほどおき、出てきた水分は拭き取る。水菜はざく切りにし、長ねぎは1cm幅の斜め切りにする。
2. 鍋に酒と、水½カップを合わせて煮立て、ぶりを加える。長ねぎ、しょうゆ、みりんも加え、7~8分煮る。
   酒を多めに使って煮ることで、煮汁の味に深みを出すとともに、ぶりの臭みもやわらげる。
3. 水菜を加えてひと煮立ちさせ、器に盛り、一味唐辛子をふる。

豚バラと長ねぎのさっと煮

重ねた豚バラ肉と長ねぎが、やわらかい熱に包まれて
とろけるようになじみ、まろやかな甘みになります。

材料（2 ～ 3 人分）

豚バラ薄切り肉　150g
長ねぎ　3 本
塩　小さじ 1 弱
酒　¼ カップ
ごま油、粗びき黒こしょう　各適量

作り方

1. 豚肉は塩をまぶして 10 分ほどおく。長ねぎは 5mm 幅の斜め切りにする。
2. 鍋に豚肉、長ねぎの順に重ね、これをもう一度くり返し、酒を加え、ふたして弱火にかける。
   肉とねぎを重ね蒸しにすることで、互いの旨みがしみておいしく仕上がる。
3. 10 分ほど煮て器に盛り、ごま油をまわしかけ、黒こしょうをふる。

キャベツとソーセージのマスタード煮

炒めたベーコンと、ソーセージのだしを存分に含んだ
キャベツが美味。マスタードの粒々感が程よいアクセント。

材料（2 ～ 3 人分）

ベーコン　2 枚
ソーセージ　2~3 本
キャベツ　¼ 個
玉ねぎ　¼ 個
タイム　2~3 枝
オリーブ油　大さじ 1
ローリエ　1 枚
白ワイン　¼ カップ
粒マスタード　大さじ 1
塩、こしょう　各適量

作り方

1. ベーコンは長さを 4 等分に切る。キャベツはざく切りに、玉ねぎは薄切りにする。
2. 鍋にオリーブ油を熱し、ベーコンを炒める。脂が出たら玉ねぎを加えて軽く炒め、キャベツを加えてさっと炒め合わせる。
3. ソーセージ、タイム、ローリエ、白ワインを加えてひと煮立ちさせる。水 ½ カップ、塩小さじ ⅓を加え、ふたをして 10 分煮る。
   蒸し煮にしてソーセージやベーコンのだしを旨みのベースにする。
4. 仕上げに粒マスタードを加えてさっと混ぜ、塩、こしょうで味を調える。

春雨とひき肉の スープカレー

煮込まずにつくるさらりとしたカレー。
たっぷりの香味野菜と、焼きつけた
ひき肉が、鍋の中で味の深みの源に。

材料（2 〜 3 人分）

合いびき肉　80g
春雨　30g
にんにく　1 片
しょうが　1 かけ
長ねぎ　1 本
サラダ油　大さじ 1
ローリエ　1 枚
鶏ガラスープの素　小さじ ½
カレールー　40g
塩、こしょう　各適量

作り方

1. 春雨は湯でもどす。にんにく、しょうがはみじん切り、長ねぎは 1cm 幅の斜め切りにする。
2. 鍋にサラダ油とにんにく、しょうがを入れて中火で熱し、香りが出たらひき肉を加え、焼きつけるように炒める。焦げ色がついたら、長ねぎを加えて炒め合わせる。
   ひき肉をしっかり焼きつけ、味に厚みを出す。
3. ローリエ、スープの素、水 3 カップを加え、ふたをして 5 分煮る。いったん火を止めて、ルーを加えて溶かす。再び弱火にかけ、春雨を加えて温め、塩、こしょうで味を調える。

大根と豚のスープカレー

はじめに口に広がるスパイシーさ。
その奥に、大根やしいたけが生み出す
和風のコクが、どっしりと感じられます。

材料（2 ～ 3 人分）
豚こま切れ肉　100g
大根　¼ 本
大根の葉（やわらかい部分）　適量
長ねぎ　1 本
生しいたけ　3 個
しょうがの薄切り　1 枚
サラダ油　小さじ 2
ローリエ　1 枚
鶏ガラスープの素　小さじ ½
カレールー　40g
塩、こしょう　各適量

作り方

1. 大根は 5mm 厚さのいちょう切りにし、大根の葉は小口切りにする。長ねぎは 1cm 幅の斜め切りにし、しいたけは軸を除いて 1cm 厚さに切る。
2. 鍋にサラダ油を熱して豚肉を炒め、色が変わったら、大根、長ねぎを加えて炒める。しんなりしたら、しいたけ、大根の葉を加えて炒め合わせる。
肉の脂を引き出しながら野菜を炒め、ベースのコクを出す。
3. 水 3 カップ、しょうが、ローリエ、スープの素を加えて 5 分煮て、いったん火を止める。ルーを加えて溶かし、再び弱火にかけ、さらに 3~4 分煮る。塩、こしょうで味を調える。

鶏のスープ

やさしく品のよいスープが、5分もあればとれます。これも素材の旨みを引き出すル・クルーゼの力あってこそ。

材料（2～3人分）
鶏むね肉　½枚
長ねぎ（白い部分）　½本
長ねぎ（青い部分）　1本分
しょうがの薄切り　1枚
塩　小さじ½
こしょう　少々

作り方

1. 鶏肉はひと口大のそぎ切りにする。長ねぎの白い部分は薄い小口切りにする。
2. 鍋に鶏肉、水3カップ、長ねぎの青い部分、しょうがを入れて中火にかける。
   水から煮始めることで、鶏肉の旨みがじんわり引き出される。
3. 煮立ったら弱火にし、アクを取りながら5分煮る。
4. 塩、こしょうで調味し、ねぎの小口切りを加えてさっと煮る。

鶏のフォー

鶏むね肉でつくるあっさりとしたスープは、さらりとした米の麺と絶妙の相性。涼やかなハーブの香りを添えて。

材料（2～3人分）

鶏むね肉　½枚
赤唐辛子　1本
しょうがの薄切り　1枚
長ねぎの青い部分　1本分
香菜、ミントのざく切り、もやし　各適量
フォー　100g
ナンプラー　大さじ1½
酒　大さじ1
塩、こしょう　各適量

※フォーの代わりにビーフンを使ってもおいしい。

作り方

1. 鶏肉はひと口大のそぎ切りにする。赤唐辛子は種を除き、粗くちぎる。フォーは熱湯で表示時間どおりにゆでる。

2. P.48「鶏のスープ」の作り方**2**～**3**と同様にしてスープをとる。ナンプラー、酒を加え、塩、こしょうで味を調える。

3. フォーの湯をきって器に入れ、もやし、唐辛子をのせ、**2**のスープを注ぐ。香菜、ミントをのせる。

Column

パスタはふたをして ゆでる

パスタのゆで方ですが、この本では、鍋の深さの半分弱程度という少なめの湯で、ふたをしてゆでる方法をとっています。こうすると中までしっかりと塩けが入り、全体に強いコシのある、もっちりとしたゆで上がりになります。塩分濃度は、一般的なゆで方と同様です。以下は目安。

＊ル・クルーゼココット・ロンド 20cm の場合：水 1 ℓ に塩小さじ 2

＊ル・クルーゼココット・オーバル 27cm の場合：水 1.8 ℓ に塩小さじ 4 弱

Chapter 3

パスタ

一般的に、パスタにとってのソースとは、かけたり、さっとからめたりするもの。でもル・クルーゼは、パスタにソースの旨みを煮含めることを可能にしてくれました。乾麺のままソースの中で煮込めば、今まで捨てていたゆで汁のおいしさまで閉じ込められます。かためにゆでたパスタをソースで軽く煮れば、旨みがよくしみ込みます。パスタの新境地を、ぜひお試しください。

ル・クルーゼのトマトパスタ

乾麵のまま、トマトソースの中でゆでながら煮たペンネ。
ソースの旨みがじんわりと中までなじんでいます。

材料（2 ～ 3 人分）

ペンネ（8 分ゆで）　120g
パンチェッタ（なければベーコン）　50g
玉ねぎ　½ 個
ホールトマト缶　1 缶
赤唐辛子　1 本
にんにくのみじん切り　1 片分
オリーブ油　大さじ 1
塩　小さじ 1
ペコリノチーズ（またはパルメザンチーズ）のすりおろし　大さじ 4
こしょう　適量

作り方

1. パンチェッタは 1cm 幅に、玉ねぎは繊維に直角に薄切りにする。赤唐辛子は種を除く。
2. 鍋にオリーブ油を熱し、パンチェッタを炒める。脂が出たらにんにく、玉ねぎを加え、しんなりするまで炒める（時間があれば玉ねぎが薄く色づくまでじっくり炒めてもおいしい）。
3. トマトをつぶして加え、赤唐辛子、水 1⅓カップを加える。煮立ったら塩、ペンネを加え［写真A］、ペンネのゆで時間まで、ふたをして弱火で煮る。
   ここで加える塩は、パスタをゆでることと、味つけのふたつの意味をもつので正確に計量を。
4. 焦げつかないように、ときどきふたを取ってかき混ぜる［写真B］。ペンネのゆで上がり時間が近づいたときに、まだソースの水分が多ければ、ふたを取って煮詰める［写真C］。ソースが煮詰まりすぎた場合は、水を適量足す。
5. 仕上げにチーズを加え、塩（分量外）、こしょうで味を調える。

A

B

C

キャベツとベーコンのパスタ

ベーコンのコク、塩けと、くたくたに煮えた
キャベツの甘みを、ペンネにしっかりと煮含めます。

材料（2～3人分）
ペンネ　120g
ベーコン　2枚
キャベツ　¼個
タイム　2～3枝
オリーブ油　適量
塩　小さじ1½
粗びき黒こしょう　適量

作り方

1. キャベツはざく切りにし、ベーコンは1cm幅に切る。
2. 鍋にオリーブ油大さじ1を熱し、ベーコンを炒める。脂が出たら、水2カップを加える。煮立ったら、塩、ペンネ、キャベツ、タイムを加えてふたをし、ペンネのゆで時間まで弱火で煮る。
   こうするとキャベツの甘みが全体にいきわたる。また、ここで加える塩は、パスタをゆでることと、味つけのふたつの意味をもつので正確に計量を。
3. 塩（分量外）、黒こしょうで味を調え、器に盛り、オリーブ油適量をまわしかけ、黒こしょうをふる。

ブロッコリーのパスタ

軸までくったりと煮えたブロッコリー
そのものを、つぶしてソースにし、
パスタにたっぷりからめて味わいます。

材料（2～3人分）
ペンネ　120g
ブロッコリー　1株
塩　小さじ1½
こしょう、オリーブ油　各適量
ペコリノチーズ（またはパルメザンチーズ）のすりおろし　大さじ4

作り方

1. ブロッコリーは小房に分ける
2. 鍋に水2カップを煮立て、塩、ペンネ、ブロッコリーを入れてふたをし、ペンネのゆで時間まで弱火で加熱する。
   ここで加える塩は、パスタをゆでることと、味つけのふたつの意味をもつので、正確に計量を。ふたをして加熱することで、ブロッコリーが木べらでつぶせるくらいやわらかくなる。
3. ふたをはずし、ブロッコリーを木べらなどでつぶしてソースにし、塩（分量外）、こしょうで調味する。仕上げにオリーブ油とチーズを加える。

きのこの
クリームパスタ

牛乳の中でクツクツ煮た、濃厚なペンネ。
仕上げに加えるチーズでさらにコクを。

材料（2～3人分）
ペンネ　120g
マッシュルーム　1パック
エリンギ　2本
牛乳　2カップ
塩　小さじ1強
パルメザンチーズのすりおろし
　大さじ4
粗びき黒こしょう　適量

作り方

1. マッシュルームは石づきを落として縦半割り、エリンギは手で食べやすい太さに裂き、ペンネと同じくらいの長さに切る。
2. 鍋に牛乳を入れてひと煮立ちさせ、塩、ペンネ、**1**を加え、ずらしてふたをし、ペンネのゆで時間まで弱火で煮る。**ここで加える塩は、パスタをゆでることと、味つけのふたつの意味をもつので正確に計量を。**
3. ときどき全体を混ぜながら煮て、仕上げにチーズを加える。塩（分量外）、黒こしょうで調味する。

レタスのスープパスタ

カレー風味をきかせたアジアンテイストのスープ。その中で煮たパスタのしっかりとしたコシも、おいしさのうち。

材料（2〜3人分）

細めのパスタ（カッペリーニなど）　100g
卵　2〜3個（人数分）
玉ねぎ　½個
レタス　½個
オリーブ油　大さじ1
カレー粉　小さじ2
鶏ガラスープの素
　小さじ1
ナンプラー　大さじ1
塩、粗びき黒こしょう
　各適量

作り方

1. 玉ねぎは繊維に直角に薄切りにする。レタスは細切りにする。
2. 鍋にオリーブ油を熱し、玉ねぎをしんなりするまで炒め、カレー粉をふり入れて炒める。水4カップを注ぎ、煮立ったらスープの素、ナンプラーを加える。
3. パスタを半分に折って加え、ふたをしてパスタのゆで時間まで弱火で煮る。
   ふたをして煮ることで、パスタにしっかりスープの味が入り、コシも出る。
4. ゆで上がりの2~3分前に卵を割り入れ、ふたをして煮る。仕上げにレタスを加え、塩、黒こしょうで味を調える。器に盛り、好みで黒こしょう適量をふる。

和風ボンゴレ

酒蒸しにしたあさりのだしの中にパスタを加え、
旨みの詰まった蒸し汁を煮含めます。

材料（2〜3人分）
スパゲティ　160g
あさり（砂抜き）　400g
水菜　1/3わ
にんにく　1/2片
オリーブ油　大さじ1
塩　適量
酒　1/2カップ
バター　大さじ1
しょうゆ　小さじ1
粗びき黒こしょう　適量

作り方

1. あさりは殻をこすり合わせて洗う。水菜はざく切りにし、にんにくは芽を取り、包丁の腹でつぶす。
2. 鍋に湯を沸かして塩を加え、スパゲッティをゆで始める（ル・クルーゼの鍋でゆでる方法はP.60参照）。
3. 別の鍋にオリーブ油、にんにくを入れて火にかけ、香りが出たらあさりを加えてさっと炒める。酒を加え、煮立ったら水1/4カップを注ぎ、ふたをして蒸し煮にする。
4. あさりの口があいたら、ゆであがったパスタ、水菜、バターを加えて軽く煮、しょうゆ、塩、黒こしょうで味を調える。

パスタ ボロネーゼ

太めの筒状パスタ、リガトーニは、
濃厚なミートソースと格別の相性。
ふたをして煮て、味をしみ込ませて。

材料（2 ～ 3 人分）
リガトーニ　120g
ミートソース（市販品、または P.60 のレシピで作ったもの）　1½ カップ
塩、こしょう　各適量
パルメザンチーズのすりおろし　大さじ 4

作り方

1. 鍋に湯を沸かして塩を加え、リガトーニをゆで始める（ル・クルーゼの鍋でゆでる方法は P.60 参照）。ゆであがり時間の 3~4 分前にざるにあげ、ゆで汁大さじ 5~6 はとっておく。
2. 鍋にミートソースを入れて温め、リガトーニ、**1** のゆで汁を加え、ふたをして 3~4 分煮る。
   リガトーニのようにサイズの大きいパスタは、ソースで煮て味をしっかりしみ込ませるとおいしい。ペンネもおすすめ。
3. 塩、こしょうで味を調え、器に盛り、チーズをふる。

ル・クルーゼでパスタ料理を楽しむために

ここではル・クルーゼのオーバルでのロングパスタの
ゆで方と、人気の高いミートソースの作り方を紹介します。

ココット・オーバル(27cm)でのパスタのゆで方

27cmのル・クルーゼ ココット・オーバル（ロングパスタがちょうど入るサイズ）に、水を半分程度まで入れ（約1.8 ℓ）、火にかける。煮立ったら塩小さじ4弱を加え、パスタを入れてふたをし、袋の表示時間より1分短くゆでる。途中、ときどき全体を混ぜる。湯は鍋の半分程度でOK。

ミートソースの作り方

材料（作りやすい分量）
牛ひき肉　500g
マッシュルーム　6個
セロリ　½本
にんじん　⅓本
にんにくのみじん切り　2片分
玉ねぎのみじん切り　1個分
ホールトマト缶　2缶
オリーブ油、バター
　各大さじ1
オレガノ（ドライ）
　小さじ⅓
ローリエ　1枚
赤ワイン　1カップ
塩　小さじ1
こしょう　少々

作り方

1. マッシュルームは石づきを除き、セロリ、にんじんとともに5mm角に切る。
2. 鍋にオリーブ油、バター、にんにくを入れて火にかけ、色づき始めたら、玉ねぎ、オレガノ、1を入れて炒める。
3. ふたをして10~20分、ごく弱火で煮る。焦げつかないようにときどき全体を混ぜる。しんなりとしてきたら、ふたをとり、全体を混ぜるように炒める。
4. ひき肉を入れ、焼き付けるように炒め、肉の表面がこんがりとしたら裏返し、反対側も焼く。
5. ワインを入れて煮立て、トマト缶、水1カップ、塩、ローリエを加え、30分煮る。**この時点から食べられるが、さらに弱火で1時間、ふたをして煮ると、味がなじんでよりおいしくなる。**

Chapter 4

ごはんもの

かたすぎず、やわらかすぎず、程よく水けを含んだつやのあるごはん。私たち日本人が愛してやまない、そんなごはんを炊きあげるのも、ル・クルーゼの鍋さえあればお手のものです。やさしい甘みに満ちた白いごはんや、ふくよかな香りと歯応えのある玄米ごはんを、そのままで、あるいはおいしい具を混ぜて、存分に味わってください。

しょうが風味のきつねごはん

甘辛い煮汁を含ませたお揚げは、つややかに炊けた、
ル・クルーゼのごはんと相性抜群です。

材料（3 〜 4 人分）

白米ごはん　2 合分
油揚げ　2 枚
しょうが　1 かけ

A
- だし　1 カップ
- しょうゆ　大さじ 3
- みりん　大さじ 2
- 砂糖　大さじ 1½~2

作り方

1. 油揚げは熱湯をかけて油抜きをし、1.5cm 幅に切る。しょうがは千切りにする。
2. 鍋に **A** の材料、**1** を入れて火にかけ、12~13 分煮る。
3. 炊きあがった白米ごはんを茶碗に盛り、**2** をのせる。

白米ごはんの炊き方

作り方

1. 米は炊く30分ほど前に洗い、ざるにあげる。
2. 鍋に分量の水、米を入れてふたをし、中火にかける。
   1で30分の時間をとれない場合、はじめから弱火にかけ、浸水させながら炊くとよい。
3. 沸騰したら弱火にして、10~13分炊く。
   ふたの厚いル・クルーゼは沸騰がわかりにくいので、確認のために1回くらいはふたを開けてよい。
4. 火からおろし、ふたを取らずに5~10分蒸らす（ふたを開けたとき、まだ水っぽければ、蒸らし時間を長めにとる）。空気を含ませるようにさっくりと混ぜる。

※ 米と水の分量は、米1合（180 mℓ）に対し水1カップ（200 mℓ = 米の約1割増し）が基本。ややかためなので、好みに応じて加減を。

※ ル・クルーゼのサイズに対する適量は、
φ16cm →米1合　水1カップ
φ18cm →米1.5合　水1½カップ
φ20cm →米2合　水2カップ
φ22cm →米3合　水3カップ
鍋に対して米の分量が多めの場合は、炊く時間がやや長めになる。

根菜の混ぜごはん

ほんのり土の香りがする根菜と、もっちりとして素朴な玄米が一体となった、滋味あふれるごはん。

材料（3～4人分）

玄米ごはん　2合分
ごぼう　1/4本
れんこん　4 cm
にんじん　1/3本
長ねぎ　1/3本
サラダ油　大さじ1
A | 酒、しょうゆ　各大さじ2
　| 砂糖　大さじ1

作り方

1. ごぼうはたわしで皮をこそげるように洗い、れんこん、にんじんとともに5～7mm角に切る。ごぼう、れんこんは水に10分さらして水けをきる。長ねぎは縦半分に切って、横に1cm幅に切る。

2. 鍋にサラダ油を熱し、ごぼう、れんこん、にんじんを入れて炒める。しんなりとしたら、**A**を加え、炒め煮にする。なじんでしんなりとしたら長ねぎも加え、水分がほぼなくなるまで炒め煮にする。

3. 炊きあがった玄米ごはんに**2**を加え、混ぜる。

玄米ごはんの炊き方

作り方

1. 玄米は軽く洗い、たっぷりの水で1時間~ひと晩、浸水させる。
2. 玄米の水けをきり、分量の水とともに鍋に入れ、ふたをして弱火にかける。
   玄米はかたいので、はじめから弱火でゆっくり加熱する。
3. 沸騰してから20~25分炊いて火からおろし、ふたを取らずに15分ほど蒸らす(ふたを開けたとき、まだ水っぽければ、蒸らし時間を長めにとる)。空気を含ませるようにさっくりと混ぜる。

※ 玄米と水の分量は、米1合(180 mℓ)に対して水270 mℓ(=米の約5割増し)が基本。ややかためなので、好みに応じて加減を。

※ ル・クルーゼのサイズに対する適量は、
ϕ 16cm →米1合　水270 mℓ
ϕ 18cm →米1.5合　水2カップ
ϕ 20cm →米2合　水540 mℓ
ϕ 22cm →米3合　水4カップ
鍋に対して米の分量が多めの場合は、炊く時間がやや長めになる。

たけのこと高菜の中華風混ぜごはん

玄米とたけのこ、ふたつの歯応えが
口の中でリズミカルなおいしさに。
高菜のほろ苦さが味を引き締めます。

材料（3～4人分）

玄米ごはん　2合分
豚ひき肉　50g
ゆでたけのこ（小）　1本
高菜漬け　40g
ごま油　大さじ1
しょうゆ、みりん　各大さじ1½

作り方

1. たけのこは下半分は横に5mm厚さに切り、放射状にひと口大に切る。穂先は薄いくし形切りにする。高菜は洗って水けを絞り、1cm幅に切る。
2. 鍋にごま油を熱し、ひき肉を炒める。色が変わったらたけのこを入れて炒め合わせ、高菜も加えて混ぜ、しょうゆ、みりんで調味する。
3. 炊きあがったごはんに**2**を加え、混ぜる。

ひじきごはん

白いごはんの甘みと、ひじきの磯の香り、ナンプラーのコクが混ざり合い、噛むたびに複雑な旨みが広がります。

材料（3～4人分）
ごはん　2合分
ひじき（乾燥）　10g
オリーブ油　大さじ1
ナンプラー、みりん　各大さじ1
白ごま　大さじ2

作り方
1. ひじきは水に30分つけて戻し、水けをきる。
2. 鍋にオリーブ油を熱し、ひじきを炒める。油がまわったらナンプラー、みりんを加え、汁けがなくなるまで炒め煮にする。
3. ごまはフライパンで軽くから炒りし、香ばしくする。
4. 炊きあがったごはんに**2**、**3**を加えて混ぜる。

Column

次に使いたいのは ル・クルーゼの「グリル」

ル・クルーゼの鍋は、素材の水分を引き出し、その水分を逃がさずに調理する点で長けていますが、その分、カリッと焼きつける調理に向いていません。ル・クルーゼの「グリル」は、その分野で優れた力を発揮する道具です。鍋と同様にどっしりと厚みがあるため、熱伝導がよいうえに温度の安定性が高く、中火でも十分な火力になります。また、じんわりとした熱を伝えられるため、根菜や肉などにじっくり火を通すのにも非常に適しています。

Chapter 5

揚げ物とグリル

鍋の中の温度を一定に保てる点も、ル・クルーゼの強みのひとつ。だから、揚げ物にも非常に向いています。食材を入れても油の温度が下がりにくいため、べたつかず、カラリと仕上がるのです。ずっしりと重く安定感がある点も、揚げ鍋向き。また、鍋が苦手とする「焼きつけ」の調理は、ル・クルーゼのグリルにお任せを。

ポテト＆ハーブのフリット

表面はサクッと軽く、中はほっくりしてやさしい甘み。
保温性の高いル・クルーゼだからできる絶妙の揚げ加減です。

材料（2～3人分）
じゃがいも　2個
ハーブ（セージ、タイム、
バジルなど）　各適量
オリーブ油　¼カップ
揚げ油（サラダ油）　適量
塩、粗びき黒こしょう　各適量

作り方
1. じゃがいもは皮付きのまま8mm角くらいの拍子木切りにし、水に5分さらし、水けをよく拭く。
2. 鍋にじゃがいもを入れ、オリーブ油を加えてから、かぶるくらいまで揚げ油を注ぎ、ハーブを入れて中火にかける［写真A、B］。
3. きつね色になるまでじっくり揚げる。途中、焦げないようにハーブを取り出す［写真C］。
冷たい油から徐々に温度を上げていくこの作り方なら、2度揚げをしなくてもおいしく揚がる。
4. 油をきり、熱いうちに塩、黒こしょうをふって仕上げる。

A

B

C

根菜の唐揚げ

シンプルに、丁寧に揚げることで、4種類の根菜がもつ
それぞれの甘み、香り、歯応えが、ぐんと際立ちます。

材料（3 ～ 4 人分）

ごぼう　½本
大根　10cm
長いも　10cm
ゆり根　1個
しょうゆ　大さじ4
片栗粉　適量
揚げ油　適量
塩　適量

作り方

1. ごぼうはたわしで皮をこそげるよう洗い、5mm厚さの斜め切りにし、大根は2cm厚さのいちょう切りにし、それぞれをしょうゆ大さじ2に10分浸す。長いもは1cm角、5cm長さの拍子木切りにし、ゆり根は1枚ずつはがす。
2. ごぼう、大根は汁けを拭き、片栗粉を薄くまぶす。
3. 鍋に揚げ油を中温（170 ～ 180℃）に熱し、4種の根菜をそれぞれこんがり色づくまで揚げる。
   ル・クルーゼは厚手なので油温の安定性がよく、具材を入れても温度が下がりにくい。
5. 油をきり、熱いうちに塩をふる。

ズッキーニと
マッシュルームの天ぷら

カラリと軽やかな衣に包まれた
ズッキーニ＆マッシュルームの
熱々でジューシーな旨みを堪能。

材料（2 ～ 3 人分）
ズッキーニ　1 本
マッシュルーム　1 パック
卵　1 個
薄力粉　½ カップ
揚げ油　適量

作り方

1. ズッキーニは 1cm 厚さの輪切りにする。マッシュルームは石づきを落とし、ペーパータオルで汚れを拭く。
2. 卵、冷水を合わせて ½ カップにしてボウルに入れ、溶き合わせる。薄力粉をふり入れ、ざっと混ぜる。
3. 鍋に揚げ油を中温（170 ～ 180℃）に熱し、ズッキーニ、マッシュルームをそれぞれ **2** の衣をくぐらせ、カラリと揚げる。

揚げ豆腐

時間をかけてきつね色に揚げる、自家製の厚揚げ。
さっぱりとしたたれとともに、作りたてを味わいたい。

材料（2～3人分）

もめん豆腐　1丁
ししとうがらし　6本
A
- 長ねぎのみじん切り　10 cm分
- おろししょうが　少々
- ナンプラー、酢　各大さじ1
- 水　小さじ1

揚げ油　適量

作り方

1. 豆腐は縦半分、横4等分に切り、表面の水気をよく拭く。ししとうがらしは竹串で数カ所穴をあける。
2. **A**の材料を混ぜ合わせ、たれを作る。
3. 揚げ油を中温（170～180℃）に熱し、ししとうがらしをカラリと素揚げにし、続けて豆腐をきつね色になるまで揚げる。器に盛り、**2**のたれをつけて食べる。

豆腐は厚みがあるので、色づくまでゆっくり揚げて火を通す。

手羽先の唐揚げ

じっくりと揚げ、旨みが凝縮された手羽先。バルサミコ酢をきかせたたれにジュッと浸し、味をしみ込ませます。

材料（2人分）

鶏手羽先　4本
A
- バルサミコ酢、しょうゆ　各大さじ2

揚げ油　適量
粗びき黒こしょう　適量

作り方

1. 手羽先の裏側に、骨に添って1本切り目を入れる。
   切れ目を入れることで火が通りやすくなり、身ばなれもよくなる。
2. 揚げ油を中温（170～180℃）に熱し、**1**をこんがりと色づくまで揚げる。
3. **A**の材料を混ぜ合わせ、揚げたての**2**を浸して味をなじませる。器に盛り、黒こしょうをたっぷりとふる。

ラムチョップのスパイス焼き

ル・クルーゼのどっしり感はグリルでも威力を発揮。余分な脂を落としながら、ラムの濃厚な旨みを閉じ込めます。

材料（2〜3人分）

ラムチョップ　4本
おろしにんにく　1片分
オリーブ油　大さじ1
クミンシード　小さじ1
ローズマリー　2枝
A｜塩　小さじ½
　｜こしょう　少々
粗びき黒こしょう　適量

作り方

1. ラムチョップはボウルに入れてAの材料をすり込み、オリーブ油、にんにくを合わせてまわしかけ、クミンシード、ローズマリーをのせて30分ほどおく。
2. グリルパンを中火にかける。使い始めから3〜4回は、表面の凸の部分にサラダ油適宜（分量外）を薄くぬる［写真A］。油をぬっておくことで、食材がこびりつくのを防げる。
3. 水を数滴たらし、一瞬で蒸発するくらいまで熱したら［写真B］、弱めの中火にする。
4. ラムチョップの背の脂の部分を下にして並べ［写真C］、こんがり色づいたら、裏返して両面をこんがりと焼く。焼きあがりに黒こしょうをふる。

A

B

C

いろいろ野菜のグリル

焼き色がつくまでしっかり焼くのが、野菜の甘みを
引き出す秘訣。れんこんやかぶの皮の旨みも実感。

材料（2～3人分）
アンディーブ　1個
トレヴィス　1個
かぶ　1個
れんこん　5cm
生しいたけ　2個
グリーンアスパラガス　3～4本
塩、オリーブ油　各適量

作り方

1. アンディーブは縦半分、トレヴィスは6等分のくし形に切り、かぶ、れんこんは皮付きで1cm厚さの輪切りにし、しいたけは軸を落とす。アスパラガスは根元のかたい部分を落とし、かたい皮をむく。
2. グリルパンをよく熱し、アンディーブ、トレヴィスの切り口を下にして並べる。こんがりとしたらひっくり返し、塩少々をふり、アンディーブはこんがりとして全体が柔らかくなるまで、トレヴィスは切り口がこんがりとし、少しくったりするまで焼く。
3. かぶ、れんこんは塩をふり、両面をこんがりとするまで焼く。
4. しいたけの笠の裏側、アスパラガスの表面にオリーブ油少々をスプーンの背でぬり、塩少々をふってこんがりと焼く。

塩をふるのは水分を引き出すのと味をつけるため。オリーブ油を塗るのは水分の蒸発を防ぎ、焼き縮んでクシュクシュになるのを防ぐため。

焼きさんま

日本の秋のごちそうも、ル・クルーゼのグリルで極上の味に。程よく脂が抜け、ふっくら、ジューシーに焼き上がります。

材料（2人分）
さんま　2尾
塩　適量
大根おろし、しょうゆ　各適量

作り方

1. さんまは塩を全体にふり、15分ほどおく。出た水分を拭き取り、斜め半分に切る。
2. グリルパンをよく熱し、さんまを裏側になる面を下にして焼く。
   グリルパンは熱が安定するまでに時間がかかり、皮がくっつくこともあるので、裏側から焼く。
3. こんがりと色づいたら裏返し、もう片面も同様に焼いて器に盛る。大根おろしを添え、しょうゆをかける。

平野由希子［ひらの・ゆきこ］

ひつじ年生まれ。お酒とフレンチをこよなく愛する料理研究家。フランスの「エコール・リッツ・エスコフィエ」などで料理を学ぶ。現在、広告や雑誌、書籍などで幅広く活躍中。著書に『「ル・クルーゼ」だから、おいしい料理』（グルマンクックブックアワード2003、Best Innovative Book部門入賞）『「ル・クルーゼ」で、おいしい和食』『「ル・クルーゼ」で、つくりたい料理』（ともに小社刊）、近著に『天然酵母のおいしいパン』（KKベストセラーズ）、『知らなかった野菜のおいしさに出会える72の方法』（PHP研究所）などがある。

staff

料理・スタイリング……平野由希子

撮影……広瀬貴子

ブックデザイン……岡本健＋

取材・文……保田さえ子

料理アシスタント……稲中寛子

校正……鳥光信子

編集……中野さなえ（地球丸）

撮影協力

ル・クルーゼ ジャポン ☎03-3585-0198

アムス工房 ☎053-440-6636

ル・クルーゼで料理 1
15分でつくる編

2006年4月10日 初版第1刷発行

著 者………平野由希子

発行者……菅井康司

発行所……株式会社 地球丸

〒105-0004
東京都港区新橋 6-14-5
03-3432-7918（編集部）
03-3432-7901（営業部）
http://www.chikyumaru.co.jp/
印刷・製本……大日本印刷株式会社

ISBN4-86067-126-0